Título original: HOPE & COURAGE

Publicado originalmente en Gran Bretaña por Exley Publications Ltd.,
16 Chalk Hill, Watford, Herts, WD 19 4BG (2003)
www.helenexleygiftbooks.com
Editado por Helen Exley
Ilustrado por Juliette Clarke

Editado por Harlequin Ibérica, S. A.
Hermosilla, 21
28001 Madrid
España

ISBN: 978-84-671-5216-6

Impreso en China

UN REGALO ESPECIAL DE

ESPERANZA & CORAJE

Ilustrado por Juliette Clarke

acuarela™

¡VIVE CON VALENTÍA!

...No voy a tumbarme en el suelo y a dejar que las dificultades pasen sobre mí.

ELLEN GLASGOW (1874-1945)

Sólo hay, en realidad, dos modos de abordar la vida: como víctima o como gallardo luchador. Debes decidir si prefieres la acción o la reacción. Si no eliges cómo quieres jugar tus cartas, la vida acaba siempre jugando contigo.

MERLE SHAIN

Hay algo muy vibrante e intrépido en el valor. Sencillamente, hazlo.

ANITA RODDICK, N. 1943, DE *VOCES DEL CORAZÓN.*

Si me pidieran que diera el que considero el consejo más útil para toda la humanidad, sería éste: espera la aflicción como parte inevitable de la vida y, cuando llegue, mantén la cabeza alta, mírala fijamente a los ojos y di: "Soy más fuerte que tú. No puedes derrotarme".

ANN LANDERS, N. 1918

CUANDO SE ROMPA TU ARCO Y HAYAS GASTADO TU ÚLTIMA FLECHA, DISPARA. DISPARA CON TODO TU CORAZÓN.

PROVERBIO ZEN

EL CAMINO A TRAVÉS DE LOS PROBLEMAS

Los obstáculos en el camino de los débiles se convierten en peldaños en el camino de los fuertes.

THOMAS CARLYLE (1795-1881)

Cada problema trae en las manos un regalo para ti.

RICHARD BACH

Concédeme dificultades y sufrimientos en este viaje que emprendo para que mi corazón despierte y mi búsqueda de la liberación y la piedad se colme por entero.

ORACIÓN TIBETANA

La maravillosa riqueza de la experiencia humana perdería algo de su deleite gratificador si no hubiera límites que superar. El momento de alcanzar la cima no sería ni la mitad de maravilloso si no hubiese valles oscuros que atravesar.

HELEN KELLER (1880-1968)

EL VERDADERO HEROÍSMO

EL CORAJE DE LA GENTE CORRIENTE ES LO ÚNICO QUE NOS SEPARA DE LA OSCURIDAD.

PAM BROWN, N. 1928

Los desastres barren el mundo: la guerra y la enfermedad, los terremotos, las inundaciones y el fuego. Pero tras ellos hay siempre actos de valentía y compasión que asombran al corazón humano. La luz en medio de la completa oscuridad.

CHARLOTTE GRAY, N. 1937

El heroísmo es el triunfo radiante sobre el miedo… Es la deslumbrante, la cegadora concentración del coraje.

HENRI FRÉDÉRIC AMIEL (1821-1881)

Las generaciones se preguntan: «¿Tiene significado la vida?». Pero los valientes actúan como si cada vida tuviera un propósito y, de ese modo, dan a este mundo una dignidad más allá de toda lógica.

PAM BROWN, N. 1928

LA SUPERVIVENCIA

Buscaba siempre la entereza y la confianza fuera de mí, pero vienen de dentro. Siempre están ahí.

ANNA FREUD (1895-1982)

Sólo desde la conciencia de las dificultades que nos salen al paso podemos intentar algo grande. Sólo desde el orgullo por superarlas podemos perseverar en un gran empeño.

WILLIAM HAZLITT (1778-1830)

Soy una superviviente. Sobrevivir no significa que uno tenga que ser de acero. Significa que sabes donde estás y deseas vencer.

LINDA RONSTADT

LA ESPERANZA

NI LA PRISIÓN MÁS PROFUNDA, SELLADA A LA LUZ Y AL SONIDO, PUEDE RETENER AL ESPÍRITU HUMANO SI LA ESPERANZA RESISTE. ES UNA VENTANA A UN MUNDO MÁS AMPLIO. ES EL VÍNCULO HACIA EL AMOR.

PAM BROWN, N. 1928

A pesar de todas las miserias que nos ahogan y afligen, poseemos un instinto irreprimible que nos mantiene a flote.

BLAISE PASCAL (1623-1662)

Cuando, derrotados, yacemos de espaldas en el suelo, sólo podemos mirar hacia arriba.

ROGER W. BABSON

La esperanza es una cosa muy modesta, pero fuerte. Aguanta con escaso sustento. Sobrevive sin apenas luz. Hace la vida posible.

CHARLOTTE GRAY, N. 1937

Lo importante no es que podamos vivir sólo de esperanza; es que no merece la pena vivir sin ella.

HARVEY MILK

NO OLVIDES NUNCA LA FELICIDAD

No pienso en la desgracia, sino en la belleza que aún queda.

ANNA FRANK (1929-1945)

El valor... es nada menos que la capacidad de sobreponerse al peligro, al infortunio, al miedo, a la injusticia, mientras uno sigue afirmando en su fuero interno que la vida, con todos sus sinsabores, es un bien; que todo es significativo, aunque su sentido trascienda nuestra comprensión; y que siempre hay un mañana.

DOROTHY THOMPSON (1894-1961)

AUNQUE LA FELICIDAD SE OLVIDE DE TI UN POQUITO, NO LA ECHES NUNCA DEL TODO EN EL OLVIDO.

JACQUES PRÉVERT (1900-1977)

A pesar de todo, alguna forma de belleza aparta la mortaja de nuestro espíritu melancólico.

JOHN KEATS (1795-1821)

EL VERDADERO CORAJE

Tener valor es no permitir que tus temores influyan sobre tus actos.

ARTHUR KOESTLER (1905-1983)

Concédeme el valor de no cejar, aunque crea desesperado el empeño.

CHESTER W. NIMITZ (1885-1966)

A la hora de afrontar el cambio y comportarse como un espíritu libre en presencia del destino, no hay nada que supere a la entereza de ánimo.

HELEN KELLER (1880-1968)

En la vida, la gran virtud es el coraje auténtico, que sabe cómo afrontar los hechos y sobrevivir a ellos.

D.H. LAWRENCE (1885-1930)

SI SE PIERDE LA RIQUEZA, SE PIERDE ALGO.
SI SE PIERDE EL HONOR, SE PIERDE MUCHO.
SI SE PIERDE EL VALOR, SE PIERDE TODO.

ANTIGUO PROVERBIO ALEMÁN

LA SENCILLA PALABRA «AGALLAS»
DESCRIBE UNA DE LAS
CUALIDADES MÁS VALIOSAS
DEL SER HUMANO: LA CAPACIDAD
DE RESISTIR. SI SE POSEE
LA DISCIPLINA NECESARIA PARA
AGUANTAR CUANDO EL CUERPO QUIERE
HUIR, SI SE ES CAPAZ DE CONTROLAR
LA IRA Y CONSERVAR LA ALEGRÍA
FRENTE A LA MONOTONÍA O LA DECEPCIÓN,
SE TIENEN «AGALLAS».

JOHN S. ROOSMAN

Mira bien dentro de ti:
hay siempre una fuente
de fortaleza que acaba
brotando si buscas ahí.

MARCUS AURELIUS (121-80 A. C.)

DEFIENDE LO QUE CREES

La cobardía moral que nos impide decir lo que pensamos es tan peligrosa como la palabrería irresponsable. El camino recto no es siempre el más frecuentado ni el más fácil. Defender lo que es justo aunque sea impopular es una verdadera prueba de entereza moral.

MARGARET CHASE SMITH

Las fronteras no están al este o al oeste, al norte o al sur, sino allí donde alguien afronta un hecho.

HENRY DAVID THOREAU (1817-1862)

Líbranos de la cobardía que rehúye la verdad desconocida, y de la pereza que se contenta con medias verdades.

ANTIGUA ORACIÓN

TU CORAJE PUEDE ELEVAR EL ESPÍRITU DE MUCHOS... Y AYUDARLOS A SEGUIR ADELANTE.

PAM BROWN, N. 1928

La capacidad de seguir con empeño un camino, sea o no el más admirado, se mide por el valor. Cuanto más grande es éste, mayor es la posibilidad de cambiar las cosas.

MILDRED PITTS WALTER,
DE *EL LIBRO DE ASTA*

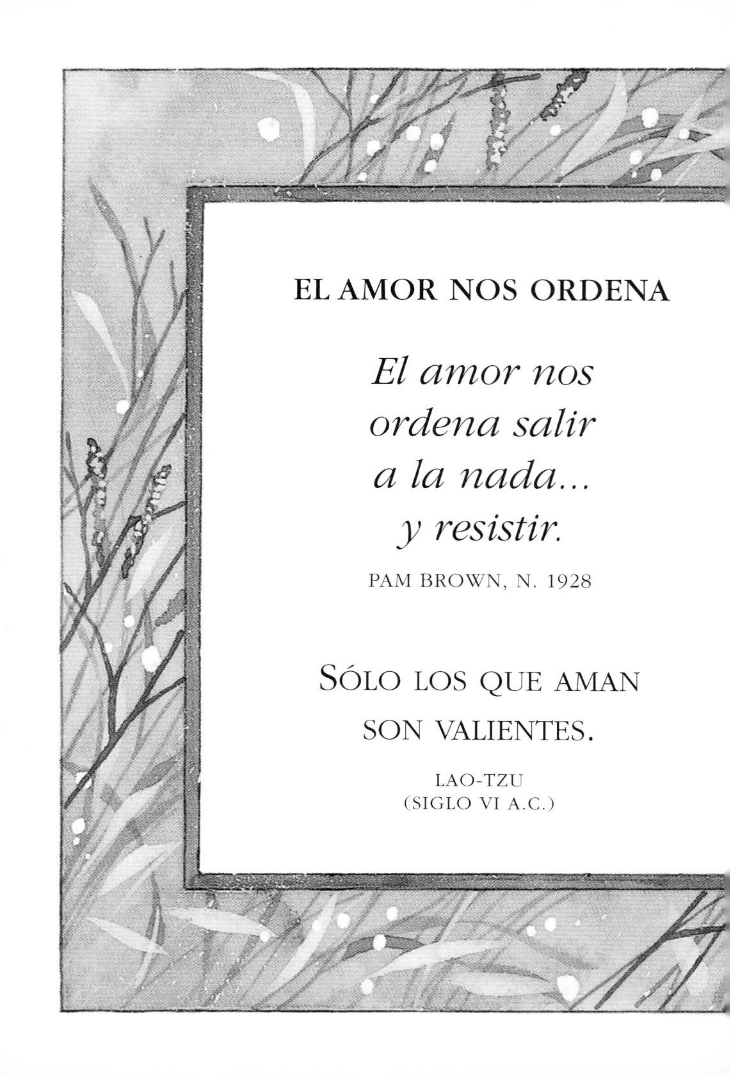

EL AMOR NOS ORDENA

El amor nos ordena salir a la nada... y resistir.

PAM BROWN, N. 1928

SÓLO LOS QUE AMAN SON VALIENTES.

LAO-TZU
(SIGLO VI A.C.)

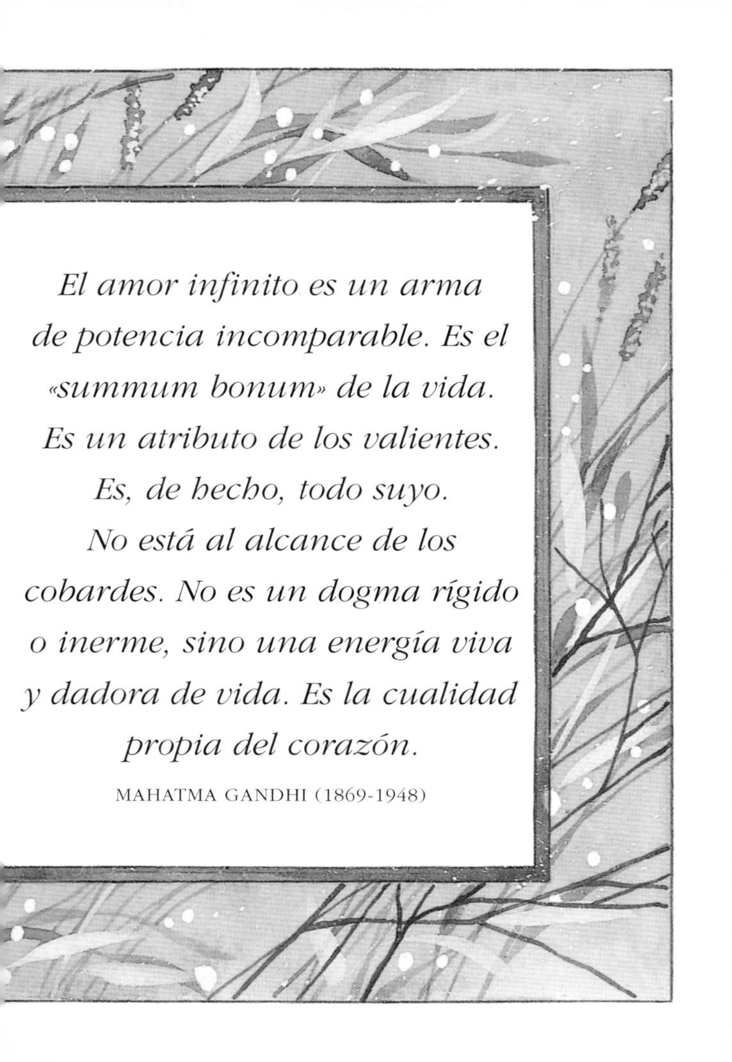

El amor infinito es un arma de potencia incomparable. Es el «summum bonum» de la vida. Es un atributo de los valientes. Es, de hecho, todo suyo. No está al alcance de los cobardes. No es un dogma rígido o inerme, sino una energía viva y dadora de vida. Es la cualidad propia del corazón.

MAHATMA GANDHI (1869-1948)

FAMILIAS CORRIENTES

Rompe el corazón ver que familias corrientes se esfuerzan por escapar y ser libres. Que afrontan grandes peligros para buscar una vida mejor y sólo encuentran hambre, pobreza, enfermedad, hogares arruinados y trabajos perdidos.
Su coraje supera nuestra comprensión.
Su dolor sobrepasa nuestra experiencia.

Hay un valor que apenas logramos comprender: el valor de las personas que se ven empujadas a los márgenes mismos de la existencia.
Cada día puede traer la victoria de la supervivencia... o una derrota devastadora.
Cada día lleva consigo el miedo a la pérdida y la lucha por mantener viva la esperanza.
Y sin embargo resisten. Y cantan.
Y atesoran ilusiones para sus hijos.

...

VIVIR EN LA COMPLETA POBREZA, HACER LA COMIDA CON CASI NADA, MANTENER A LOS NIÑOS VESTIDOS Y A SALVO, LLEVAR LA RISA A LA DESOLACIÓN. ÉSE ES EL VERDADERO CORAJE, EL CORAJE QUE PERDURA.

PAM BROWN, N. 1928

FORTALEZA

Se gana fortaleza, valentía
y confianza con cada experiencia
en la que te paras realmente a mirar el
miedo cara a cara. Entonces puedes decirte:
«Yo sobreviví a este horror. Puedo soportar
lo que venga después».

ELEANOR ROOSEVELT (1884-1962)

ESTÁ BIEN TENER MIEDO: EL MIEDO
ES LO QUE NOS AVISA Y LO QUE NOS PROTEGE.
PERO AFRONTAR EL MIEDO CON VALENTÍA
E INTELIGENCIA, CON TENACIDAD
Y BUEN HUMOR, ES VENCER TODO PELIGRO,
ES CRECER, ES MANTENER VIVA
LA ESPERANZA DE TODOS NOSOTROS.

PAM BROWN, N. 1928

DETERMINACIÓN

Por lo general, lo que hay que hacer puede hacerse.

ELEANOR ROOSEVELT (1884-1962)

El tiempo y yo, y vengan cualesquiera dos

REFRÁN ESPAÑOL

MANTENTE FIRME EN LA VIDA
COMO UNA ROCA EN EL MAR,
IMPASIBLE Y AJENA
AL BATIR CRECIENTE DE SUS OLAS.

HAZRAT INAYAT KHAN (1882-1927)

Los tiempos duros pasan. La gente dura resiste

ANÓNIMO

Nunca hay que rendirse. Nunca. Nunca. Nunca. Nunca.

SIR WINSTON CHURCHILL (1874-1965)

NO TENEMOS INTENCIÓN DE PERMANECER QUIETOS Y DEJAR QUE EL MIEDO ABRA LA PUERTA A COSAS PEORES

El león acecha nuestro camino. Pero si nos damos la vuelta y nos enfrentamos a él, se escabulle. Cuanto antes aprendamos que el miedo no tiene más poder que el que le damos, antes controlaremos nuestras emociones. El tsalagi *puede conocer el miedo, pero su estoico semblante nunca lo revela. Para un cherokee,* u na ye hi s di, *el miedo o la alarma, es el rostro del enemigo que intenta embotar su mente y amedrentar su espíritu para conquistarlo más fácilmente. El rugido del león se acalla en cuanto nos enfrentamos a él con nuestro* ga na nv di s gi, *el grito de guerra que muestra nuestra determinación. No tenemos intención de quedarnos quietos y dejar que el miedo abra la puerta a cosas peores. Las palabras cargadas de fe que salen de nuestras bocas ahuyentan no sólo al león, sino a todo cuanto representa. ¡Y yo grito que estamos salvados!*

LUTHER OSO DE PIE (1868-1939)

Nuestro camino no es de blanda hierba, es una cuesta arriba cubierta de rocas. Pero sube y sube hacia el sol.

RUTH WESTHEIMER, N. 1928

DEBEMOS SEGUIR ADELANTE

Evito mirar hacia delante o hacia atrás, e intento seguir mirando hacia lo alto.

CHARLOTTE BRONTË (1816-1855)

DEBEMOS SEGUIR ADELANTE,
QUERAMOS O NO,
Y SE CAMINA MEJOR CON
LOS OJOS AL FRENTE
QUE VOLVIENDO CONSTANTEMENTE
LA VISTA ATRÁS.

JEROME K. JEROME (1859-1927)

Hay que aceptar lo que venga. Lo único que importa es afrontarlo con valor y dar lo mejor de uno mismo.

ELEANOR ROOSEVELT (1884-1962)

AFRONTAR EL MIEDO

¡...Que el arrojo nos guarde por doquier!
¡Que nos envuelva por cielo y tierra!
¡Que no temamos ni a amigo ni a enemigo,
ni lo conocido ni lo desconocido!
¡Que ni el día ni la noche nos asusten!
¡Que todo el mundo sea mi amigo!

FRAGMENTO DE *LOS VEDAS,*

El valor es la resistencia al miedo, el dominio del miedo, no la ausencia de miedo.

MARK TWAIN (1835-1910)

La valentía no significa
no tener miedo.
Significa que se tiene
el coraje de afrontarlo.

RAMA VERNON, DE *UNA BRIZNA DE FE*

Aprendí que el valor no era la ausencia de miedo, sino el triunfo sobre él. Yo mismo sentí miedo más veces de las que soy capaz de recordar, pero lo oculté tras una máscara de audacia. El valiente no es quien no teme, sino quien conquista su temor.

NELSON MANDELA, N. 1918,
DE *EL LARGO CAMINO HACIA LA LIBERTAD*

ACTÚA PARA QUE LAS COSAS CAMBIEN

La verdadera moralidad no consiste en seguir la senda trillada, sino en encontrar nuestro auténtico camino y seguirlo sin miedo.

MAHATMA GANDHI (1869-1948)

Lo único que tienes que hacer es mirar de frente para ver el camino. Pero, cuando lo veas, no te sientes a contemplarlo: camina.

AYN RAND (1905-1982)

Uno hace lo que debe hacer, a pesar de las consecuencias que tenga para uno mismo, de los obstáculos, de los peligros y las presiones. Ésa es la base de toda ética.

JOHN F. KENNEDY (1917-1963)

EL MOMENTO DE HACER ALGO ES CUANDO NADIE MÁS ESTÁ DISPUESTO A HACERLO; EL MOMENTO EN QUE LA GENTE ASEGURA QUE ES IMPOSIBLE.

MARY FRANCES BERRY, N. 1938

Soy sólo una; pero aun así soy una. No puedo hacerlo todo, pero puedo hacer algo.

HELEN KELLER (1880-1968)

Que encuentres siempre el coraje para resistir a la maldad, sea cual sea su disfraz.

PAM BROWN, N. 1928

Si crees ser demasiado insignificante para causar impacto, prueba a irte a la cama con un mosquito.

ANITA RODDICK, N. 1943

CRECER EN FORTALEZA

SE HAN CONSTRUIDO MUROS
CONTRA NOSOTROS,
PERO ESTAMOS LUCHANDO
POR DERRIBARLOS Y, EN LA LUCHA,
CRECEMOS Y ENCONTRAMOS NUEVAS
FUERZAS, NUEVAS OPORTUNIDADES.

ESLANDA GODE ROBESON

Debemos recordar que no somos los únicos que se encuentran en un aparente callejón sin salida. Del mismo modo que el viento eleva una cometa, incluso las peores penalidades pueden fortalecernos. Nosotros, como los miles de personas que se enfrentaron antes a idéntico destino y lograron superarlo, también podemos.

DR. R. BRASCH

NO PIDO RECORRER SUAVES
CAMINOS, NI LLEVAR SOBRE MIS
HOMBROS UNA CARGA LIVIANA.
PIDO VALOR PARA ESCALAR SOLA
LOS PEORES PICOS Y TRANSFORMAR
CADA ROCA TAMBALEANTE
EN UN PELDAÑO EN EL QUE
APOYARME.

GAIL BROOK BURKETT

LA VALENTÍA TE MIRA FIJAMENTE A LOS OJOS

La Valentía te mira fijamente a los ojos.
A ella no le impresionan los que
mandan,
y sabe primeros auxilios.
A la Valentía no le da miedo llorar,
ni rezar,
ni siquiera cuando no está segura
de a quién reza.
Cuando camina, está claro
que ha recorrido el trayecto
entre el sentirse sola y el estarlo.
Los que me dijeron que era severa
no mentían.
Sólo olvidaron decir
que también era amable.

J. RUTH GENDLER

FAMILIAS VALIENTES

En el calor de la batalla, un momento de valor basta. Pero el coraje que perdura es el del hombre, la mujer o el niño que, víctimas de la persecución o la desgracia, luchan por mantener unida su familia, por encontrar alimento y refugio, por preservar la esperanza cuando se ha desvanecido. Ésos son los verdaderos héroes, las auténticas heroínas cuyas alabanzas nadie canta.

...

Mucha gente corriente asombra al mundo por su entereza ante la adversidad. Esas personas importan más que los reyes, los estados o los credos. En ellas, perdura el mundo.

...

NADIE QUE NO SE HAYA
ENFRENTADO AL MIEDO, A LA PÉRDIDA
Y A LA DESESPERANZA PUEDE IMAGINAR
EL CORAJE DE LOS QUE INTENTAN
ESCAPAR A LA PERSECUCIÓN Y ENCONTRAR
UNA VIDA MEJOR PARA ELLOS MISMOS
Y PARA AQUÉLLOS A QUIENES AMAN.

PAM BROWN, N. 1928

CADA UNO DE NOSOTROS POSEE UNA SECRETA VALENTÍA

Cada uno de nosotros tiene
sus miedos secretos.
Cada uno de nosotros posee una
secreta valentía.

...

Muchos de nosotros nacemos sin coraje...
y, sin embargo, resistimos, aferrándonos
a la vida con las yemas de los dedos,
contra toda probabilidad.

...

Nos sorprende nuestra capacidad para
mostrar valor: los seres humanos son
mucho más valientes de lo que creen
posible.

...

ES MUY DURO

VIVIR UNA VIDA DE SECRETA

Y CALLADA VALENTÍA.

MÁS DURO AÚN ES SOPORTARLA

SIN RECONOCIMIENTO ALGUNO.

AGUANTA.

ERES EL HILO

QUE MANTIENE

UNIDO EL MUNDO.

PAM BROWN, N. 1928

UNA CIERTA CLASE DE CORAJE

Está el valor que estalla
en un súbito arrebato de adrenalina:
el coraje que logra inauditas hazañas
llenas de osadía. Y está el valor que se
construye a partir del miedo y la duda,
del aguante y la callada determinación.
El coraje que sopesa las alternativas...
y aun así sigue adelante. El valor que
afronta el dolor y el desaliento con el corazó
lleno de esperanza... y levanta el ánimo
de cuantos lo rodean. Los desolados,
los muy viejos, los muy jóvenes... los que
afrontan terrores desconocidos... para ellos
no hay elogios. Sólo respeto, asombro
y gratitud. Sólo amor.

PAM BROWN, N. 1928

LOS MÁS VALEROSOS SON AQUÉLLOS QUE MÁS TEMEN Y QUE SIN EMBARGO RESISTEN.

PAM BROWN, N. 1928

Resistir es más grandioso que osar: agotar la suerte hostil hasta dejarla exhausta; no dejarse intimidar por dificultad alguna; mantener el ánimo cuando todos lo han perdido... ¿Quién dice que eso no es grandeza?

WILLIAM MAKEPEACE THACKERAY (1811-1863)

El único valor que importa es el que te lleva de un momento al siguiente.

MIGNON MCLAUGHLIN

A medida que pasaba el tiempo, mi optimismo irreflexivo se iba transmutando en esa fe más profunda que sopesa las feas realidades de la vida y, sin embargo, espera cosas mejores y sigue esforzándose por conseguirlas, incluso cuando se enfrenta a la derrota.

HELEN KELLER (1880-1968)

EL VALOR: UNA PERCEPCIÓN PERFECTA DE LA MAGNITUD DEL PELIGRO Y UNA DISPOSICIÓN MENTAL A SOPORTARLO.

WILLIAM T. SHERMAN (1820-1891)

SIGUE ADELANTE, SIEMPRE ADELANTE

Tienes que aguantar, porque lo único que hay en juego aquí es tu propia vida. No tienes elección. Tienes que jugar a ganar, si quieres quedarte en este mundo.

CONSEJO DADO AL PACIENTE DE CÁNCER JAMES BROWN

CUANDO TE ENCUENTRES
EN UN ATOLLADERO Y TODO
ESTÉ EN TU CONTRA,
HASTA EL PUNTO DE QUE PAREZCA
QUE NO PUEDES AGUANTAR
UN MINUTO MÁS, NO TE RINDAS.
PORQUE JUSTO EN ESE INSTANTE
Y ESE LUGAR EMPEZARÁ
A BAJAR LA MAREA.

HARRIET BEECHER STOWE (1811-1896)

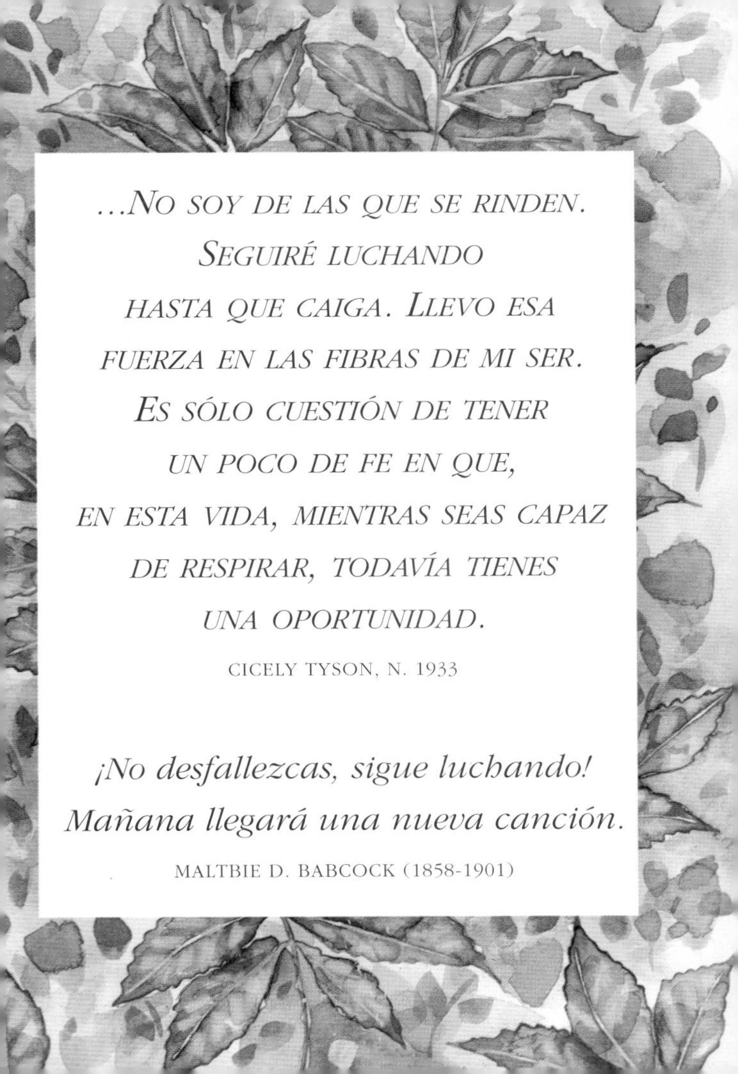

...No soy de las que se rinden.
Seguiré luchando
hasta que caiga. Llevo esa
fuerza en las fibras de mi ser.
Es sólo cuestión de tener
un poco de fe en que,
en esta vida, mientras seas capaz
de respirar, todavía tienes
una oportunidad.

CICELY TYSON, N. 1933

¡No desfallezcas, sigue luchando!
Mañana llegará una nueva canción.

MALTBIE D. BABCOCK (1858-1901)

MAÑANA SERÁ EL PRINCIPIO...

Hay un sentimiento de absoluta finalidad en el final de un vuelo a través de la oscuridad. El orden de las cosas que has vivido intensamente durante horas de estruendo, en un elemento del todo separado del mundo, cesa bruscamente. Y el ensueño del vuelo se esfuma de pronto ante la realidad prosaica de la hierba que crece y el polvo que gira en remolinos, de los hombres que se esfuerzan y de la paciencia perdurable de los árboles que echaron raíces.

BERYL MARKHAM

...La desdicha y la destrucción no son definitivas. La hierba que se quema en el incendio de la estepa crece de nuevo cuando llega el verano.

PROVERBIO MONGOL

VOLVERÁN LA TERNURA Y EL AMOR

Aunque nadie puede volver
atrás y comenzar de nuevo,
cualquiera puede empezar
a partir de ahora y forjarse
un final completamente nuevo.

CARL BARD

Hoy es tormenta y nubes,
un duro peligro y dolor.
Pero mañana rodará
esa piedra,
porque el sol siempre
sigue a la lluvia.

JOAQUIN MILLER (1839-1913)

El mundo es redondo
y el lugar que quizá
parezca el final
puede ser también
el principio.

Ivy Baker Priest (1905-1975)

¿Qué es un libro regalo de *Helen Exley?*

Helen Exley lleva veintisiete años creando libros regalo, de los que se han vendido cuarenta y ocho millones de ejemplares en más de treinta idiomas. Dado que sus libros se compran como regalos, Helen no escatima esfuerzos para asegurarse de que cada uno de ellos sea lo más considerado y elocuente posible: un hermoso presente que dar a los demás y que recibir. La esperanza y el valor en tiempos difíciles son preocupaciones que ocupan una parte central en la obra de Helen, y a ellas ha dedicado varios títulos.

Los miembros de su equipo buscan en cientos de fuentes literarias citas memorables con las que posteriormente Helen crea personalmente sus obras. Con infinito cuidado, se asegura de que cada ilustración encaje con cada cita, de que el diseño de cada página realce el sentido y la emoción de los textos, y de que el libro en su conjunto posea verdadera hondura y significado.

Tienes el resultado en tus manos. Si te ha gustado, díselo a otros. No hay nada tan poderoso como el boca a boca entre amigos.

Helen Exley Giftbooks
16, Chalk Hill, Watford, WD19 4BG, Reino Unido.
www.helenexleygiftbooks.com

Agradecimientos: los editores agradecen el consentimiento para reproducir material protegido por derechos de autor. Aunque se han hecho todos los esfuerzos razonables por localizar a los titulares de dichos derechos, los editores atenderán gustosamente cualquier reclamación de las personas cuyos derechos no hayan quedado recogidos aquí. LUTHER OSO DE PIE: de Land of the Spotted Eagle, publicado por University of Nebraska Press. Reproducido con permiso. K. RUTH GENDLER: Courage, de The Book of Qualities, HarperCollins, © 1988 J. Ruth Gendler. Reproducido con permiso de la autora. BERYL MARKHAM: extracto de West with the Night, de Beryl Markham. © 1942, 1983, Beryl Markham. Reproducido con permiso de North Point Press, una división de Farrar, Straus and Giroux, LLC, y de Pollinger Ltd. PAM BROWN, CHARLOTTE GRAY: publicado con permiso © Helen Exley 2003.